EL GATO

ILUSTRACIONES DE KVĚTA PACOVSKÁ

MIKOS

Jurij Brězan

ediciones sm   Joaquín Turina 39   28044 Madrid

Colección dirigida por **Marinella Terzi**

Primera edición: febrero 1993
Segunda edición: julio 1993
Tercera edición: octubre 1994

Traducción del alemán: *José A. Santiago Tagle*
Diseño de la colección: *Alfonso Ruano*

Publicado por acuerdo con ARENA Verlag GmbH, Würzburg

Título original: *Die abentever des kater Mikosch*
© 1992 Arena Verlag GmbH, Würzburg
© Texto: Jurij Brězan
© Cubiertas e ilustraciones: Kvĕta Pacovská
© Ediciones SM, 1993
   Joaquín Turina, 39 - 28044 Madrid

Comercializa: CESMA, SA - Aguacate, 43 - 28044 Madrid

ISBN: 84-348-3977-6
Depósito legal: M-31858-1994
Fotocomposición: Grafilia, SL
Impreso en España/Printed in Spain
Imprenta SM - Joaquín Turina, 39 - 28044 Madrid

CADA mañana, exactamente a las siete menos cinco, Tomás le ponía a su gato negro un cuenco de leche tibia. A las siete en punto, Tomás salía hacia el colegio y Mikos, el gato, dejaba su leche y lo acompañaba, andando a pasitos cortos, hasta la esquina o dos casas más lejos. Allí se quedaba sentado y decía, maullando bajito:

—¡Chao, Tomás!

Tomás le hacía una señal y respondía:

—¡Corre a casa, Mikos!

Y el gato volvía tranquilamente a casa mientras Tomás apretaba el paso hacia el colegio.

Tomás y Mikos eran los mejores amigos que uno pueda imaginarse.

Cuando Tomás jugaba al fútbol, Mikos se sentaba detrás de la portería y no le quitaba el ojo al balón.

Cuando Tomás daba vueltas a la manzana en bicicleta, Mikos se sentaba en la puerta para contarlas.

Cuando Tomás atravesaba el parque vecino para dirigirse al terraplén de la

vía del ferrocarril, Mikos acudía a su lado y contemplaba junto a él los trenes que pasaban. Tomás saludaba con la mano a los maquinistas y fogoneros, a los guardafrenos en sus garitas y a los viajeros pegados a las ventanillas. Mikos se limitaba a parpadear, sin quitarle el ojo a los gorriones que cantaban en los matorrales del terraplén.

A veces, le aburría esperar otros trenes y deambulaba por el terraplén en busca de ratoneras nuevas.

Todos los vecinos conocían a Tomás y a Mikos, y también la gente que iba al parque para sentarse a tomar el sol o pasear bajo los árboles. Todos sabían que ellos dos eran los mejores amigos del mundo.

Tomás era rubio.

▼ ▼ ▼

Mikos tenía el pelo del color de los cuervos: negro como el carbón.

Tomás era un chico que iba a tercero.

Mikos era un gato cazarratones.

A veces —todo hay que decirlo—, también cazaba mirlos y gorriones.

Una mañana, Tomás llenó el cuenco de leche y Mikos no acudió. Tomás se fue al colegio y Mikos no le acompañó hasta la esquina o dos casas más lejos. Por la tarde, Tomás jugó al fútbol con sus amigos y no estuvo Mikos para contar los goles. Tomás atravesó el parque para contemplar los trenes en el terraplén y ningún gato negro se sentó a su lado parpadeando con sus enormes ojos amarillos.

Tomás corrió de un lado a otro buscando y llamando a gritos a su amigo.

▼ ▼ ▼

Pero la búsqueda y los gritos no sirvieron de nada.

Un vecino, el señor Brake, dijo:

—Tal vez ha caído en una trampa.

El ferroviario, el señor Novak, dijo:

—Tal vez se ha comido algo envenenado.

Un anciano desconocido, que solía tomar el sol en un banco del parque, indicó:

—Tal vez lo ha atropellado un tren.

Tomás no los creyó.

—Mikos es muy listo —dijo—. Procura no caer en trampas ni ser atropellado por los trenes, y nunca come nada envenenado.

Vino la cartera con su saca al hombro y les informó de que más allá de las vías del tren vivía un hombre que cazaba gatos.

▼ ▼ ▼

Tomás fue corriendo a buscarle y le
preguntó con voz severa:

—¿Ha cogido usted a Mikos?

Y él contestó riendo:

—¿A tu gato negro? ¡Yo, no!

Y Tomás regresó triste.

¿Dónde se habría metido Mikos?

La tarde anterior, Tomás se había ido
en coche con su padre, y por eso Mikos
había cruzado solo el parque para ir al
terraplén. Por todas partes olía a pri-
mavera y a ratoneras nuevas. Un tren se
aproximó con lentitud. La locomotora
chirrió fuerte, porque estaba encendida
la señal de alto. Se detuvo entre chorros
de vapor y, justo delante de Mikos, se
paró un vagón de patatas. Del montón
de patatas surgió un ratón.

Mikos entrecerró los ojos y puso las

orejas tiesas. El ratón se paseó por el montón de patatas y subió a la garita del guardafrenos.

Mikos tensó los músculos y se aproximó. El ratón estaba limpiando y alisando su pelaje polvoriento y desgreñado. Mikos saltó y sus afiladas garras atraparon al ratoncillo gris.

En ese momento, cambió la señal indicando vía libre. La locomotora silbó, gimió y suspiró, y, con una sacudida, el tren reanudó el viaje. Mikos devoró tranquilamente su manjar, se limpió, se relamió sosegadamente el bigote y se dispuso a bajar.

Y entonces se dio cuenta de que el tren se marchaba. Alargó el pescuezo y oteó el paisaje, pero no vio ninguna copa de los árboles del parque, ni el tejado de su casa, ni ninguna de las muchas torres de la ciudad en la que vivían Tomás y él: el tren avanzaba zumbando por campos verdes desconocidos. Mikos miró al exterior, a izquierda y derecha, se encaramó desconcertado al montón de patatas, maulló entristecido y chilló con rabia, pero nadie lo oyó. El tren avanzaba veloz, traqueteando, y sólo de cuando en cuando silbaba la locomotora.

El sol se puso detrás de las nubes rojizas y Mikos seguía viajando por bosques sombríos y verdes campos. Atrás quedaban aldeas diminutas y él seguía su camino sobre elevados puentes e incluso, en una ocasión, a través de un túnel negro y maloliente.

Por fin, el tren se detuvo. Ya era de noche.

Unos ferroviarios, con lámparas en las manos, caminaban a lo largo del tren

▼ ▼ ▼

y golpeaban con martillos las ruedas de los vagones. Aparecieron unos vigilantes de fronteras que anotaron en listas los números de los vagones.

A Mikos todo aquello le gustaba muy poco. Trepó cautelosamente hasta el techo de la garita del guardafrenos y miró con atención a su alrededor: todo le era extraño y desconocido. A la derecha había rocas escarpadas; a la izquierda, un oscuro y ancho río.

«Este lugar no es mi casa», se dijo Mikos y, parpadeando, bajó la mirada hacia el agua oscura y, luego, la alzó hacia las plateadas estrellas y, haciéndose un ovillo, se echó a dormir en un rincón de la garita.

Pensó: «Tal vez me encuentre en casa cuando despierte y todo esto no haya sido más que un estúpido sueño».

▼ ▼ ▼

Después de un rato, el tren dio una sacudida y continuó su ruta entre traqueteos.

A un lado, rocas escarpadas; al otro, un oscuro y ancho río.

Cuando Mikos despertó, ya era de día. Se levantó, bostezó, arqueó el lomo, se estiró, se restregó los ojos para sacudirse el sueño, se enderezó el bigote y se alegró al pensar en su pequeño cuenco de leche. Entonces miró en torno suyo y vio que no estaba en casa: estaba sentado en un vagón de patatas, en algún lugar de una enorme estación de trenes de mercancías. Detrás de la estación, altas chimeneas soltaban un humo amarillo y rojo que a Mikos le picaba en el hocico.

«¡Diablos!», pensó el gato. «¡Sí que me he perdido bien!». Y se rascó detrás de la oreja, pero de nada le sirvió.

Desde la estación venían gentes cargadas con horcas. Mikos se encogió lo más que pudo en el rincón más apartado de la garita. Pero una mujer lo descubrió y exclamó:

—¡Huy, qué hermosura de gato!

A Mikos eso le sonó bien. Se levantó para exhibir ante la gente su hermosura gatuna, su fuerza, su negrura de carbón desde el hocico hasta la cola.

—¡Qué bonita piel saldría de ahí! —continuó la mujer.

Mikos se espantó, sacó sus afiladas garras y se encorvó desafiante. La mujer se acercó para agarrarlo. Pero el gato le enseñó sus dientes puntiagudos, la amenazó con un bufido y retrocedió lentamente.

Entonces, desde atrás, una fuerte mano de hombre lo agarró por el pescuezo, y antes de que Mikos pudiera reconocer bien a su nuevo enemigo, ya estaba metido en un saco de patatas.

El animal se puso furioso y mordió, arañó y se retorció, pero el saco estaba hecho de yute resistente y era imposible que el prisionero escapara.

Así que Mikos se tumbó para descansar y cobrar nuevas fuerzas.

El hombre que lo había atrapado decía entre risas:

—¡Estás cazado y amordazado, amiguito! ¡Ya no te me escapas!

Dentro del saco, Mikos empezó otra vez a agitarse rabioso, a morder, a arañar, pero todos sus esfuerzos seguían siendo inútiles.

De repente, notó que un poderoso puño agarraba el saco y lo alzaba. El saco quedó en el aire balanceándose y

Mikos estuvo a punto de marearse. Entonces alguien lo cogió de nuevo y una voz amable dijo:

—¡No temas, pequeño!

Desataron el saco, Mikos salió disparado al exterior y quiso poner pies en polvorosa. Pero volvía a estar atrapado. Estaba metido en una estrecha caja de acero y cristal, y ante él había una mujer con grueso mono de trabajo y botas recias, que reía diciendo:

—¡Pues sí, gatito negro, sí que has tenido suerte de que viera cómo te cogían!

Y sacó de su tartera una salchicha, cortó un trozo y se lo echó a Mikos.

—Come —le dijo—. Ya no me queda tiempo de entretenerme contigo.

Pero Mikos no comió, antes quería saber en qué lugar se encontraba. Estiró el pescuezo y vio que estaba en el aire, metido en la cabina de una grúa, sobre la estación de trenes de mercancías.

«¡Rayos y centellas!», pensó. «¿Qué hago ahora para bajar desde aquí?».

La conductora de la grúa le ordenó:

—¡Túmbate y espera!

Mikos se tumbó sobre el saco y no le quitó el ojo ni un instante. Cuanto más la observaba, más simpática le parecía. Después de un rato, el gato se levantó, olisqueó bien el trozo de salchicha, se lo comió y se apretujó agradecido contra la pierna de la mujer.

—¿Lo ves, lo ves, negrito? —exclamó ella—. Te ha sabido bien. Bueno, ya llevamos bastante tiempo aquí arriba.

Y al poco rato, añadió:

—¡Se acabó la jornada! ¿Qué hacemos ahora contigo? Lo mejor será que te metas en mi chaqueta y te agarres bien. Pero ¡cuidado con arañarme!

Mikos se metió tranquilo bajo la chaqueta y pronto llegaron los dos abajo.

La conductora de la grúa lo puso en el suelo y dijo:

—¡Ven conmigo a casa, mis hijos son buenos niños!

Pero Mikos no quería ir con ella, sino a casa de Tomás, donde tenía su hogar.

—Está bien —convino la mujer—. ¡Pero no te dejes atrapar de nuevo!

Entonces se fue, y Mikos maulló bajito:

—¡Muchas gracias!

El gato se escondió en las cocheras para pensar qué hacer. Hubiera preferido ponerse inmediatamente en camino y correr a casa. Pero no tenía ni idea de la dirección que debía tomar. Se dijo: «He venido en tren; por tanto, sería de risa que no volviera también en tren».

Al oscurecer, salió con sigilo y buscó el vagón más adecuado para regresar a su casa.

Ciento tres vagones examinó con precisión y olfateó con detenimiento. Olían a todo lo imaginable —gasolina, personas, corderos—, pero ninguno olía, siquiera un poquitín, a Tomás.

También había vagones de patatas.

—En ésos no me meto —se dijo Mikos—. ¡A saber dónde me llevarían de nuevo!

Anduvo media noche de un lado a otro de la estación, y al rato se encontró tan cansado que ya ni siquiera sentía sus patas. Finalmente, el olfato lo llevó hasta un enorme vagón de heno, subió a él, hizo un hoyo y se durmió.

En sueños le pareció que viajaba en su cama de heno; pero el cansancio y el fuerte olor de la hierba secada al sol no le dejaron despertar.

Al fin, un terrorífico rugido muy cerca de él lo arrancó del sueño y lo levantó de su cama. Se asomó con cautela por el borde del montón de heno y se encontró de narices con un gigantesco gato como jamás había visto.

El felino, unas cien veces más grande que Mikos, era amarillo como la arena y abría la boca como si se fuera a tragar el sol.

Lleno de espanto, Mikos encorvó el lomo cuanto pudo y maulló asustado.

El felino amarillo como la arena y grande como cien gatos contempló al gatito sobre el montón de heno, volvió a bostezar y preguntó:

—¿Quién eres, enano?

A Mikos le enfadó que aquel grandullón hablara de él con tanto desprecio. Además, comprobó que la terrorífica fiera estaba en una jaula de sólidos barrotes de hierro. Así que puso su hermosa cola negra vertical y tiesa como una antena, bostezó también y exclamó desde arriba:

—¿Y quién eres tú, ruidoso barbudo?

El gigante respondió amistosamente:

—Soy el león Hassan.

—¿Le... le... león? —tartamudeó con espanto Mikos, recogiendo su antena—. ¿Eres de África?

—No —dijo Hassan—. Soy de Leipzig. Todos somos de Leipzig.

Indicó con la mirada a derecha e

izquierda y, entonces, Mikos vio que allí había otros cinco leones.

—Me llamo Mikos —se presentó cortésmente.

El león Hassan lo contempló con detenimiento y meneó, asombrado, su melena.

—¡Que esta cosita tan pequeña hable la lengua de los leones! —comentó.

Mikos se enfadó de nuevo y dijo:

—¡Y que tú hables la lengua de los gatos siendo un fanfarrón!

Al león Hassan le daba lo mismo que lo llamaran fanfarrón, así que preguntó en tono amistoso:

—¿Eres también del circo?

—No —dijo Mikos—. ¿Tú sí?

El león afirmó orgulloso con un gesto:

—Todos somos del circo.

El gato negro miró a su alrededor y

vio, uno junto a otro, un montón de vagones de circo. Todos, grandes y pequeños, estaban pintados de rojo y blanco. En medio de ellos había una gigantesca carpa de color gris.

—Huy, huy —suspiró tristemente Mikos. Era la hora exacta en la que acompañaba a Tomás hasta la esquina o dos casas más lejos.

Volvió a suspirar una vez más, y entonces le contó al león Hassan toda su historia.

—Huuum... —gruñó Hassan finalmente—. Mala cosa es. ¿Y de verdad no sabes cómo se llama tu ciudad?

Mikos respondió:

—Tomás lo sabe.

—¡Eso nos sirve menos que una lata de comida para perros! —dijo Hassan con desdén—. ¡Qué bruto eres!

▼ ▼ ▼

Mikos parpadeó con sentimiento de culpa.

Hassan se rascó detrás de la oreja con la zarpa derecha, después con la izquierda, y por fin dijo:

—Debemos pedir consejo a los demás —y dio dos rugidos breves.

Por detrás se aproximó, caminando pesadamente, un gigantesco elefante.

—Éste es Jumbo —le dijo Hassan a Mikos, y al elefante le comentó—: El que está ahí arriba, sobre el heno, es mi pequeño hermano Mikos, un cabeza de chorlito que quiere regresar a su casa.

Después, relató al elefante todo lo que Mikos le había contado.

El elefante Jumbo balanceó la larga trompa mientras reflexionaba.

—¡Si al menos supiera cómo se llama su ciudad! Pero así... —dijo a continuación mientras, indeciso, se apoyaba alternativamente en cada una de sus enormes patas——. En fin... Preguntemos a otros.

Levantó la trompa y lanzó un fuerte berrido. Por la derecha apareció, meciendo el paso, un camello de color gris parduzco.

——Éste es Omar ——dijo Hassan, y le explicó la situación a Omar.

El camello Omar escuchó atentamente y dobló de manera extraña su largo cuello.

Al rato, dijo:

——Mi abuelo, que vivió en el desierto, tal vez hubiera sabido qué hacer. Yo, no.

Hassan, Jumbo y Omar se miraron, se rompieron la cabeza pensando y se entristecieron por no poder ayudar a Mikos, que era el que más triste de todos estaba, pues una terrible nostalgia le embargaba.

En ese momento, salió de la carpa del circo, dando tumbos y traspiés, el payaso Kolopak.

Llegó corriendo, dio dos volteretas, se quitó el zapatón derecho, se lo puso como una gorra sobre sus greñas amarillas, hizo una reverencia a Hassan, Jumbo y Omar, hasta dar con la frente en la arena, y preguntó:

—¿Cómo es que mis tres sabios amigos ponen esa mirada tan boba?

—Mi pequeño hermano, ese gato negro de ahí arriba, se ha extraviado —explicó el león Hassan.

—Y desconoce el camino de vuelta a su casa —añadió el elefante Jumbo.

—Triste, muy triste —sollozó el camello Omar.

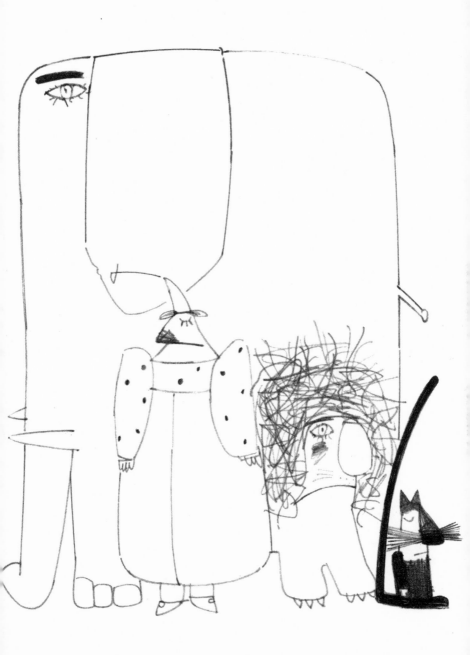

—¡Sí, sí! —maulló desde arriba Mikos.

Y los cuatro contaron al payaso Kolopak las grandes aventuras del pequeño gato.

El payaso dijo:

—Debemos, pues, rascarnos con fuerza detrás de la oreja.

Metió la mano en la jaula del león y rascó a Hassan detrás de la oreja.

—Debemos examinar este asunto a más altura —dijo Kolopak, y se sentó en el extremo de la trompa de Jumbo, que lo elevó y lo colocó en el lomo de Omar.

—Y debemos preguntarnos: ¿Quién va por todos los pueblos y ciudades? —prosiguió Kolopak.

—El sol —dijo Hassan.

—La lluvia —dijo Jumbo.

▼ ▼ ▼

—El circo —dijo Omar.

El payaso Kolopak rió alborozado, y Jumbo, Hassan, Omar y el pequeño Mikos se alegraron y rieron también.

Seguidamente, Kolopak preguntó:

—¿Puede el sol llevar a casa a nuestro gatito negro?

Los animales respondieron:

—¡No, el sol no!

El payaso Kolopak preguntó:

—¿Puede la lluvia arrastrar hasta su casa a nuestro amiguito cabezadura?

Los animales respondieron:

—¡No, la lluvia no!

El payaso Kolopak preguntó:

—¿Puede el circo dejar en casa a nuestro amigo?

Y los animales respondieron:

—¡Sí, el circo sí que puede!

El payaso Kolopak cantó:

▼ ▼ ▼

Por todas partes viaja el circo:
a todos los lugares llega.
A niños y grandes alegra...
¡Levanta el ánimo, amigo Mikos!

El elefante Jumbo marcaba el compás con sus patas gruesas como columnas, el camello Omar balanceaba su largo cuello; Hassan, el león, meneaba la magnífica borla de su cola, y Mikos ponía la cola vertical, tiesa como una antena.

El payaso Kolopak terminó de cantar y dijo:

—¡Salta, pequeño Mikos! Viajarás con el circo hasta que pasemos por tu ciudad.

Y Mikos, desde el montón de heno, saltó derecho a las piernas del payaso Kolopak. Hassan, el león, rugió; el ele-

fante Jumbo barritó, y Omar, el camello, chilló de alegría.

El circo dio representaciones en la gran ciudad de Praga, y en otras muchas ciudades grandes y pequeñas de Bohemia.

Viajó con sus numerosos vagones y todos sus animales —caballos y camellos, elefantes, leones y otras siete especies de animales— por todo el país, y con ellos siempre fue Mikos, el gatito negro. Le dieron de comer y beber, le dejaron dormir en el vagón donde vivía el payaso Kolopak, y Hassan, el león, fue su mejor amigo.

A pesar de eso, una y otra vez volvía a invadirle la nostalgia de Tomás, y entonces maullaba y corría por todo el circo con gran desasosiego. A todos les

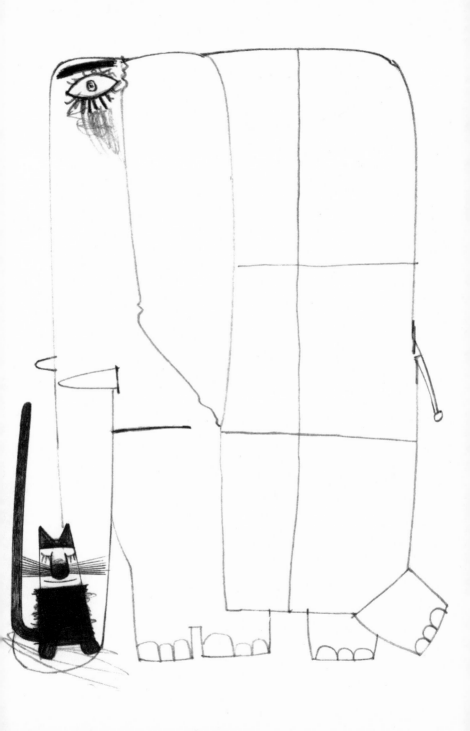

▼ ▼ ▼

daba pena, todos le consolaban: Jumbo, Omar, Kolopak y hasta el poni Pedro.

Pero cuando más fuerte le afectaba la nostalgia, Mikos se precipitaba en la jaula de Hassan y se tumbaba junto a él.

Niños y mayores se paseaban entre las jaulas para contemplar a las fieras del circo. Siempre se detenían delante de la jaula de Hassan, se apiñaban y decían:

—¡Mirad al enorme león amarillo y al gatito negro! ¡Con qué armonía duermen juntos!

Pero Hassan y Mikos no dormían. Por lo bajo, Hassan le hablaba así a su amigo:

—¡Pues claro, seguro, seguro que también pasaremos por tu ciudad, hermanito! ¡No me cabe la menor duda!

Mikos suspiraba profundamente y se apretujaba más contra su hermano mayor.

Entre las fieras del circo estaba también el tigre César. Era un viejo refunfuñón, malhumorado e iracundo. De todo el circo, era el único que no soportaba a Mikos.

Una y otra vez murmuraba:

—¡A ese bichejo negro le dan de comer y de beber sin que haga nada para ganárselo! Todos tienen que trabajar y él se llena la panza gratis.

Cien veces estuvo murmurándolo y rumiándolo, y a la ciento una, Mikos se enfadó y dijo:

—¡De acuerdo! Trabajaré. ¡Aunque seguro que todavía te enfadas más cuando lo haga!

Y pidió consejo a sus amigos sobre qué podría hacer en el circo.

El payaso Kolopak dijo:

—Podrías hacer piruetas sobre el trapecio.

El elefante Jumbo indicó:

—Podrías recorrer la pista caminando sobre tus patas traseras.

Omar, el camello, propuso:

—Podrías montar en mi joroba.

El león Hassan dijo:

—Podrías sentarte sobre mi cuello mientras atravieso de un salto el aro de fuego.

Mikos manifestó:

—¡Haré eso!

Y esa misma noche debutó como artista.

Agarrado a la melena del poderoso león, el pequeño gato, negro como el cuervo y como el carbón, irrumpió en la pista. La música dejó de sonar. Sólo el tambor, en su redoblar excitado, anunciaba:

—¡Atención, señoras y señores! ¡Gran atracción!

El domador prendió fuego al aro, y las llamas dibujaron una rueda de fuego. El león se encogió en la tarima, y también lo hizo el gato sobre su cuello. El domador exclamó:

—¡Alehop, Hassan!

Todos los espectadores contuvieron el aliento.

Hassan atravesó de un salto el aro ardiendo, y Mikos pasó al otro lado de las llamas. Y he aquí al león Hassan otra vez tranquilo y en su puesto, y en su melena, sentado orgullosamente, el gato Mikos.

La música rompió a tocar en su honor y los espectadores aplaudieron hasta que les dolieron las manos. Para Hassan y Mikos fue como si todo el mundo los acariciara detrás de las orejas. Orgullosos, se levantaron y salieron de la pista como dos grandes héroes.

Esa misma noche, el payaso Kolopak entregó un diploma a Mikos.

En él ponía, en grandes letras impresas y con la firma del director, que el gato Mikos era un artista de circo de primera clase. Mikos no cabía en sí de orgullo. Todas las fieras del circo vinieron a felicitar de todo corazón a su hermano pequeño.

Sólo César, el viejo tigre, estaba de mal humor, y de pura rabia se mordía la sucia cola. Pasó la noche entera sin dormir y cavilando cómo romperle el

espinazo a Mikos. Por fin se le ocurrió una enorme canallada.

Por aquel entonces, el circo actuaba en la hermosa ciudad eslovaca de Bratislava, y el personal que colgaba los carteles anunciadores había cruzado ya el ancho Danubio en dirección a Hungría.

El tigre César le dijo a Mikos con tono lisonjero:

—Hermanito, ven a verme en cuanto partamos de esta ciudad.

—¿Qué es lo que quieres? —preguntó, cauteloso, Mikos.

La amabilidad del tigre le parecía sospechosa.

—Te enseñaré algo —respondió el viejo César.

Mikos parpadeó desconfiado.

—¿Y qué es?

▼ ▼ ▼

El tigre se puso furioso y refunfuñó:

—¡Ufff! Si no quieres volver a casa, ¡vete al diablo!

Mikos echaba verdaderamente de menos su hogar. Justo por esa época estaba atravesando una época de fuerte nostalgia.

Y dijo:

—¿Vas a enseñarme la manera de volver a casa?

César respondió:

—¡Naturalmente, negrito tonto de capirote! Ven a verme en cuanto partamos.

—Bueno —dijo Mikos—. Iré.

De pura alegría, Mikos apenas podía esperar el momento de la partida.

César, el viejo tigre, vivía desde hacía tiempo en el circo. Ya había estado tres veces en Bratislava y, por tanto, sabía que tenían que pasar por encima del ancho río Danubio.

Y a ese río quería arrojar al gatito, para que se ahogara miserablemente.

Acababa de salir el sol cuando el circo partió de la ciudad. Mikos recorrió toda la fila de vagones y se coló en la jaula del tigre.

En ese instante, el tren llegó al puente. Por debajo de los vagones del circo, las aguas del caudaloso río Danubio batían llenas de turbulencias y remolinos.

—Acércate, amiguito —dijo el tigre para atraerlo.

Pero Mikos se mantuvo sentado a una prudente distancia y habló así:

—Te oigo bien. ¡Habla ya!

—Conque ésas tenemos —gruñó el tigre—. Ahora mismo voy hacia ti.

Se levantó y dio el primer paso. Mikos le miró a la cara, vio en ella un odio diabólico y su corazoncito gatuno se estremeció de pavor.

Pero ya no podía escapar de la jaula, pues el tigre le cerraba el paso.

—¡No permitiré que me mates ni me ahogues así como así! —bufó Mikos mientras se preparaba para la lucha.

El tigre levantó la zarpa delantera derecha en dirección a Mikos, golpeó con todas sus fuerzas... y la hundió en la madera.

El tigre gruñó furioso:

—¡Voy a devorarte, miserable!

Y Mikos bufó:

—¡Primero tendrás que cogerme!

—¡No te preocupes, enseguida serás mío! —dijo el tigre arrojándose sobre el gato. Pero cuando cayó en el suelo, Mikos ya no estaba en aquel lugar.

Por detrás del tigre, Mikos se reía y se burlaba:

—¡Más rápido, amigo, o no conseguirás nada!

Y el tigre volvió a saltar y Mikos volvió a escurrírsele bajo la panza, el tigre volvió a levantar la zarpa... y Mikos volvió a burlarse:

—¡No destroces la jaula, achacoso abuelo de la jungla!

El tigre lanzaba rugidos porque la zarpa le dolía terriblemente y porque el tren ya había dejado atrás el puente y el río.

Lleno de rabia, resopló:

—¡Aunque no haya podido ahogarte, te haré picadillo!

—¡A ver si me coges, monstruo! —le

cantaba Mikos——. ¡Venga, a ver si me coges!

Con qué furia estuvo saltando y corriendo por la jaula de la fiera, esquivando una y otra vez en el último instante la pavorosa zarpa del tigre.

Mikos ya no tenía miedo y, envalentonado, obraba con imprudencia. Le saltaba al tigre al cuello, le arañaba la cara, le mordía la oreja y, como una ardilla, sorteaba una y otra vez la zarpa que trataba de alcanzarlo.

Pero el viejo tigre era astuto. Fingió que le faltaba el aire, se puso a jadear y a gemir, y a alzar la terrorífica zarpa con muchísima lentitud. Mikos llegó a danzar alrededor de él. Había bajado la guardia. Y, de pronto, la zarpa del tigre le alcanzó con tal violencia que salió despedido de la jaula, atravesó los barrotes, rebotó con fuerza sobre la gravilla de la vía, rodó por el terraplén y se quedó allí tendido.

El tren se alejó resoplando y el tigre César rugió en su jaula con malévola alegría.

Cuando Mikos volvió en sí, a su alrededor no vio más que patas y cabezas de caballos. Pensó que tal vez estaba muerto.

Pero entonces sintió un terrible dolor en su pata delantera derecha. Trató de levantarse y chilló.

«Si me duele tanto», pensó, «seguro que aún estoy con vida». Y entonces se dio cuenta de que estaba tendido en la hierba, al pie del terraplén, y que al menos cien caballos se agolpaban a su alrededor. Lo miraban y le hablaban, pero Mikos no entendía ni una palabra.

Comenzó a lamerse la pata rota y preguntó:

—¿Dónde está mi tren?

Los caballos tampoco comprendieron eso. Menearon la cabeza, piafaron y relincharon con fuerza.

Desde detrás se abrió paso un viejo caballo castaño, de crin grisácea y espléndida cola. En su juventud había corrido en numerosos hipódromos de todo el mundo y ganado varios premios importantes. También había aprendido entonces algunas lenguas extranjeras.

El viejo caballo de carreras se colocó delante de Mikos y dijo:

—*¿Spikin inglis?*

Mikos pestañeó confuso, pues no entendía ni una palabra de inglés.

Seguidamente, el anciano corredor preguntó con voz nasal:

▼ ▼ ▼

—*¿Parlé vu alehop?*

Los caballos más jóvenes lo miraban con gran respeto.

Mikos no conocía el idioma francés, cierto, pero la palabra *alehop...* era una palabra de la jerga del circo.

El gato asintió con alegría.

—Yo, circo —dijo.

El viejo caballo que hablaba lenguas y conocía mundo también había trabajado en el circo durante años enteros.

—Acabar de pasar —dijo sonriendo afable y enseñando todos sus dientes amarillentos. Los demás caballos relincharon alegremente.

Después, comenzaron a hablar entre sí, hicieron gestos aprobatorios con la cabeza, piafaron, relincharon con fuerza y, por fin, se pusieron de acuerdo.

Con su dentadura, el viejo caballo

cogió delicadamente a Mikos por la piel del pescuezo, lo levantó y lo colocó sobre el cuello del caballo que poseía la crin más hermosa y espesa.

—¡Agarrarte! —le ordenó—. ¡Galopar al circo!

Mikos se aferró fuertemente con sus tres patas sanas a la crin de su montura.

Los caballos se volvieron todos a una y salieron al galope como si llevaran fuego en las ancas. Eran más de cien los que corrían a través de la verde pradera, con gran fragor y redoblar de cascos. Se alejaron del terraplén por el que había pasado el tren del circo.

«A saber dónde me llevarán», pensaba Mikos, pero ya todo le daba igual.

Los caballos resoplaban y echaban espuma por la boca y, aunque empapados en sudor, siguieron galopando sin descanso a través de las amplias praderas.

Pronto divisó Mikos, enfrente de él, la curva de la vía del ferrocarril. Era como un gigantesco semicírculo que bordeaba la pradera. Y a continuación, atisbó una humeante locomotora y, detrás, un largo tren, y un instante después, identificó también los vagones rojiblancos del circo.

«¿Y de qué va a servir todo esto?», pensó. «El tren sigue avanzando y por aquí no hay ninguna estación».

Pero los caballos sabían lo que hacían.

Todos los caballos, cien o más, alcanzaron la línea del ferrocarril, adelantaron al tren y se detuvieron sobre la vía.

La locomotora se acercó silbando,

pero los caballos siguieron quietos, como pegados a la vía.

A cinco pasos del primer caballo, se detuvo la locomotora. El conductor y el fogonero descendieron gritando e insultando a los caballos, y trataron de apartarlos.

El viejo caballo de carreras aprovechó ese rato para correr hacia los vagones en compañía del caballo que llevaba a Mikos sobre la crin.

Los animales del circo reconocieron al gato.

El elefante Jumbo barritó, el león Hassan emitió su más hermoso rugido de alegría, y Omar, el camello, sollozó emocionado.

El payaso Kolopak salió enseguida, saltando por la ventana, cogió a Mikos, dio un terrón de azúcar a cada uno de los caballos y volvió a subir al vagón.

Los cien o más caballos se colocaron a lo largo de la línea ferroviaria, la locomotora silbó, el tren arrancó y los caballos relincharon su «¡Hasta la vista!» al gatito Mikos.

Refunfuñando, gruñendo y rugiendo de rabia, el viejo tigre César se paseaba de un lado a otro de la jaula, terriblemente enfadado por no haber conseguido ahogar a Mikos en las caudalosas aguas del río Danubio.

Durante el viaje, el director del circo entablilló y vendó la pata rota de Mikos e indicó que pronto se pondría bien.

Al anochecer, en cuanto el circo llegó a su nueva ciudad de acogida, Jumbo convocó una asamblea general de todos

los animales. No falló ninguno, sólo el malvado tigre César se quedó en su jaula. Sabía demasiado bien que los demás iban a someterlo a juicio.

El elefante Jumbo declaró abierta la sesión y cedió la palabra al león Hassan.

Hassan habló ante los reunidos y acusó al tigre César de haber querido matar a Mikos.

Todos exclamaron:

—¡Qué vergüenza!

Omar, el camello, fue a la jaula del tigre y le escupió en la cara.

El gato Mikos se plantó cojeando en medio de los congregados, mostró su pata rota y contó lo que le había sucedido en la jaula del tigre.

Los animales exclamaron:

—¡Abajo César!

Omar, el camello, lamió con su áspera lengua la pata rota y entablillada del gato.

El elefante Jumbo preguntó:

—¿Quiere alguien hablar en defensa del tigre?

Pero ninguno de ellos quiso desperdiciar ni una sola palabra con un malhechor así.

Jumbo preguntó:

—¿Qué castigo vamos, pues, a imponerle?

Los animales respondieron al unísono:

—¡La exclusión!

—¿Alguien se opone? —preguntó Jumbo.

Nadie lo hizo.

—Está bien —dijo Jumbo—. El tigre César queda excluido de nuestra comunidad. Ya nadie hablará con él, ni lo escuchará, ni lo mirará.

—¡Que así sea! —exclamaron los animales.

Con lo cual entró en vigor la sentencia y también quedó clausurado el juicio al viejo y malvado tigre.

Desde ese mismo momento, ni un solo animal le dirigió la palabra al tigre César, ninguno lo escuchó cuando hablaba, ninguno se dignó mirarlo ni una sola vez.

César fue excluido de la comunidad de animales del circo. Y todos quisieron a Mikos, el gatito negro, mucho más que antes.

Pero, a pesar de todo esto, Mikos continuaba sintiendo nostalgia de su amigo Tomás.

▼ ▼ ▼

Tras viajar por toda Hungría, el circo tomó el camino de su patria.

Mikos se pasaba la mayor parte del tiempo durmiendo en la cama del payaso Kolopak. La pata se le curaba muy bien, y cuando pasaron por las altas montañas eslovacas hacia el norte, ya podía corretear sin el entablillado. Y en la ciudad industrial de Katowice volvió a salir a la pista con Hassan, su hermano mayor.

Los espectadores aplaudieron a rabiar. Sobre todo, los niños, que estuvieron aplaudiendo a Hassan y a Mikos hasta que les dolieron las manos.

Sin embargo, Mikos susurró al oído de Hassan:

—¿Queda mucho todavía?

—Pronto, hermano, bien pronto viajaremos hacia casa —respondió el león Hassan.

Y así fue: en la bella y luminosa ciudad de Poznan, el payaso Kolopak le rascó delicadamente a Mikos detrás de la oreja y le dijo:

—¡Mañana, pequeño Mikos!

Y por fin, al mediodía siguiente, el circo llegó a la frontera.

Ese día estaban de servicio los aduaneros Puck y Muck.

El aduanero Muck le susurró al director del circo:

—Como a uno de vosotros se le haya caído un diente durante el viaje..., a ése, Puck no le deja pasar la frontera. ¡Menudo es!

Pero el director dijo que a nadie se le había caído un diente.

Puck recorrió todo el tren con rostro severo, sin dejar de mirar sus listas, contando vagones, personas y animales,

▼ ▼ ▼

las herraduras de los caballos y hasta las viejas pantuflas del payaso Kolopak. Cuando todo estaba conforme, sacaba del bolsillo un enorme sello y lo estampaba en el pasaporte.

Selló el pasaporte del director del circo, y también el del león Hassan, el del elefante Jumbo y el del camello Omar; incluso el del viejo y malvado tigre César, que había sido excluido de la comunidad de los animales.

¿Y qué iba a hacer Mikos, que no disponía de pasaporte ni estaba incluido en la lista?

Sí, el payaso Kolopak podía explicar que Mikos no era un gato polaco, que quería volver a su patria y que, por despiste, una noche había atravesado la frontera en un vagón cargado de pata-tas. Pero ¿de qué serviría? ¡Atravesar la

▲

frontera sin pasaporte! ¿Se puede hacer eso?

Puck se aproximaba desde el final del vagón y, si descubría a Mikos, todo estaría perdido.

—¡Rápido! —susurró Jumbo—. ¡Súbete a mi oreja!

Y con la rapidez de un mono, Mikos trepó hasta la enorme oreja del elefante, y éste dobló la oreja para taparlo. Puck pasó de largo y dijo:

—¡Todo listo! ¡Alzad la barrera!

El aduanero Muck alzó la barrera y, de pronto, rompió a reír con fuerza. Y es que de la oreja del elefante asomaba la cola negra de un gato.

El circo atravesó la frontera y, cuando se hubieron alejado lo suficiente para que el aduanero Puck ya no los viera ni oyera, el elefante Jumbo abrió las enor-

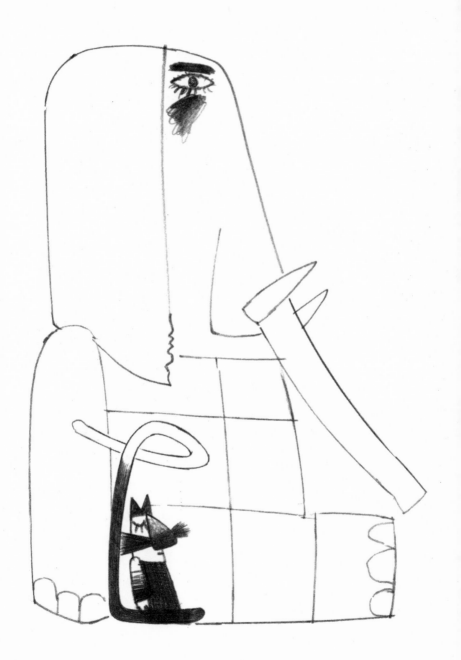

mes orejotas y todos los animales pudieron ver a su amigo Mikos. Entonces, el circo entero rió con fuerza y se alegró.

Sólo el viejo tigre César se mordió de nuevo la cola de pura rabia.

Durante mucho tiempo, el león Hassan, que era el que tenía el oído más fino, continuó oyendo las risas del aduanero Muck.

El circo llegó a Berlín.

Todo el personal se alojó en las hermosas habitaciones de un hotel, los animales fueron instalados en casetas sólidas y acondicionadas para el frío, y la carpa del circo fue montada en un precioso y enorme edificio de hierro y hormigón.

El director del circo dijo:

—Esto nos gusta. Nos quedaremos aquí todo el invierno.

Pero ni siquiera estaban en invierno. En los jardines y junto a las carreteras, todavía maduraban las últimas manzanas.

Los animales estaban contentos de no tener que ir de un sitio para otro durante una buena temporada.

Sólo el negrito Mikos se moría de tristeza.

Ya no quería comer, ni siquiera sorbía su leche tibia.

El regreso a su país le había alegrado muchísimo. Pero ahora no tenía ningún ánimo y se arrastraba hasta la jaula de Hassan, se apretujaba contra su hermano y lloraba en silencio.

Hassan rodeaba a Mikos con la zarpa y le decía bajito:

▼ ▼ ▼

—No llores, hermanito; no te pongas tan, tan triste. El invierno también se acabará, y entonces iremos a todas las ciudades, y también a la tuya.

Pero el pequeño Mikos ya no quería viajar más. Estaba cansado hasta el alma de esperar. Quería ir a casa y, si eso no era posible, no le quedaban ilusiones para seguir viviendo.

El león Hassan no sabía qué hacer. Convocó a los mejores amigos de Mikos y estuvieron deliberando y deliberando.

Omar, el camello, que era el encargado de llevar las cartas y paquetes del circo a la oficina de correos, dijo:

—¿Y por qué no lo mandamos por correo a su casa?

Todos opinaron que tenía razón. Así que se despidieron de Mikos y el león Hassan le volvió a acariciar con su suave

▼ ▼ ▼

zarpa. Lo empaquetaron en una sólida caja de madera, lo pusieron en la furgoneta de Omar y exclamaron:

—¡Chao, hermanito! ¡Que llegues bien a casa!

Y a todos les entristeció tener que despedirse de él.

Omar, el camello, llegó a la oficina de correos con su furgoneta. Los empleados de correos cogieron las cartas y los paquetes y le preguntaron:

—¿Qué hay en la caja?

—Es Mikos —explicó Omar—. Quiere volver a su casa.

—¿Lleva algo de comida? —preguntaron los empleados.

—¿Para qué? —dijo Omar.

—El que viaja por correo debe llevar algo de comida —informaron los empleados—. Si no, se muere de hambre.

▲

—¡Ah, ya! —dijo Omar—. Bueno, traeré algo.

Pero entonces los empleados observaron que la caja no llevaba ninguna dirección.

—Bueno —dijeron—. ¿Y dónde hay que mandarlo?

Asomando por el borde de la caja, Mikos explicó que vivía en una ciudad pequeña, junto al parque, en casa de Tomás, un chico rubio.

Los de correos se rieron un poquito, pero un poquito nada más. Estaban dispuestos a ayudar a Mikos. Así que preguntaron:

—¿Cómo se llama tu ciudad?

Mikos no lo sabía.

—¿Es grande?

—No, pequeña —respondió Mikos.

—Ciudades pequeñas hay muchas

—dijeron los empleados—. ¿Qué más sabes de tu ciudad?

Mikos contó que en ella los trenes pasaban justo por detrás del parque, que los pájaros se posaban en los árboles y que en el terraplén de la vía del ferrocarril había ratoneras.

Los empleados menearon la cabeza e indicaron que nada de eso les servía, que era demasiado poco y que, de verdad, no podían mandar a Mikos a su casa.

Omar, el camello, se entristeció tanto que no dejó de sollozar en todo el camino desde la oficina de correos al circo.

Mikos juró que partiría solo o que se introduciría en la jaula del tigre para dejarse devorar por César.

De nuevo, todos los amigos volvieron

a deliberar y acudieron juntos al director del circo.

—Señor Aeros —gruñó Hassan—, en un rincón de mi jaula está echado mi hermano Mikos, ¡y se nos muere!

Y el elefante Jumbo, muy alterado, resopló por su trompa:

—¡Yo ya no lo soporto más!

El camello Omar sollozaba y sollozaba sin poder decir una palabra de lo triste que estaba.

El director del circo se quitó la chistera de la cabeza y se rascó con fuerza detrás de la oreja.

—No se puede hacer nada —dijo finalmente.

El elefante Jumbo empezaba a enfadarse:

—¡Entonces nos pondremos todos en huelga!

▼ ▼ ▼

—¡Por supuesto! —gruñó Hassan.

El director los miró horrorizado.

—Pero si nos ayudas a buscar a Tomás, el dueño de Mikos, actuaré todos los días en las dos sesiones... ¡Con Mikos en la oreja! —añadió rápidamente Jumbo.

—¡Magnífico! —exclamó el director—. ¡Eso sería estupendo! De acuerdo: tú sales a la pista con Mikos y yo os encuentro a Tomás, el chico rubio.

—¡Trato hecho! —dijeron los animales, y se retiraron contentos.

Jumbo fue corriendo a ver a Mikos para relatarle lo que habían tratado con el director. Mikos subió enseguida a la oreja del elefante para ensayar, y Hassan comprobó que su hermosa cola negra quedaba totalmente oculta cuando Jumbo doblaba la oreja.

▲

Mientras, el director se paseaba de aquí para allá rascándose detrás de la oreja. Le salía humo de la cabeza de tanto pensar. De pronto, sus ojos repararon en el aparato de radio.

—¡Ajá! —dijo con alegría—. ¡Ya lo tengo!

Justo en ese momento, en la pista daba comienzo la sesión de noche. El director se dirigió a las gradas y preguntó si había allí alguien de la radio o de la televisión.

Y en efecto: entre los espectadores se encontraba un presentador, el señor Lahebra.

El director se colocó a su lado y, cuando el elefante Jumbo hizo su aparición, dijo:

—¡Y ahora preste atención, señor Lahebra!

El señor Lahebra prestó atención y, cuando Jumbo abrió su enorme orejota, vio, como lo vio todo el público, que en ella se ocultaba un gato negro.

—¡Bravo, Jumbo! ¡Bravo, Mikos! —exclamaron todos fascinados.

Pero el director dijo:

—Señor Lahebra, nuestro Mikos ha perdido a su amigo, el rubio Tomás.

Y le contó todo lo que sabía de Mikos, de Tomás y de su ciudad.

—Debemos encontrarlo —concluyó el director.

—Sí que debemos —dijo el señor Lahebra—. ¡Y lo encontraremos!

De pura alegría, el director se ladeó su chistera negra.

Por fin llegó la tarde del sábado. En todas las casas del país estaban los niños

frente al televisor; el señor Lahebra apareció en pantalla y cantó:

Al gato Mikos conozco yo.
¿Quién sabe de él más que servidor?
¿Quién conoce a su amigo Tomás,
al que Mikos anhela encontrar?

Así cantó el señor Lahebra, y a continuación presentó un reportaje sobre el circo.

Todos los niños vieron con claridad al pequeño gato negro en la enorme orejota del elefante.

Después, el señor Lahebra siguió cantando:

¡Tomás, Tomás, ven volando aquí!
¡Ven, que Mikos se muere por ti!
En el estupendo circo berlinés
suspira y sufre porque no te ve.

▼ ▼ ▼

En todos los rincones del país, los niños escucharon al señor Lahebra, y todos creyeron que les estaba contando alguno de sus cuentos.

Sólo el rubio Tomás, el que vivía en la casa que estaba junto al parque por detrás del que pasaba la vía del ferrocarril, sólo ese Tomás sabía que no se trataba de un cuento. Saltó de la silla y fue corriendo a su padre.

—¡Papá! ¡Mi Mikos está en el circo de Berlín! Tenemos que ir a buscarle, papá. ¡Por favor!

Pero el padre de Tomás opinaba también que el señor Lahebra sólo había contado un cuento.

Sin embargo, tanto se lo pidió y se lo rogó Tomás, que tan firmemente creía que su amigo Mikos, desaparecido sin dejar ningún rastro, había reaparecido, que su padre llamó al señor Lahebra a Berlín.

Éste le confirmó que lo que Tomás había visto y oído en la televisión era la pura verdad.

Por la mañana temprano, Tomás y sus padres partieron de viaje. Cuando llegaron a Berlín, el circo aún estaba cerrado. Pero después de comer, compraron las entradas y, cuando empezó la sesión de la tarde, en las gradas del circo, entre un millar de niños berlineses, se encontraba el rubio Tomás con sus padres.

A Tomás le golpeaba el corazón en el pecho, los oídos le resonaban y, de pura excitación, ni siquiera pudo reírse con las gracias del payaso Kolopak.

Y por fin apareció, solo y marchando

pesadamente, el elefante Jumbo. Dio una vuelta lenta a la pista mientras levantaba una decena de veces la trompa y saludaba a los niños con sus berridos.

Llevaba su enorme oreja derecha pegada al cuerpo. Se situó en el centro de la pista y la despegó, poco a poco, hasta que todos los niños vieron cómo el gatito negro asomaba por la oreja del elefante.

Los niños exclamaron: «¡Bravo!», y aplaudieron fascinados.

Y por encima de todos aquellos «bravos» y aplausos, se oyó el grito de Tomás:

—¡Mikos!

Y Mikos lo oyó enseguida.

De un salto bajó de la oreja de Jumbo, de otro salvó la barandilla de la pista y, al tercer salto, cayó sobre las piernas de Tomás. Se apretujó contra su amigo, ronroneó y de buena gana se hubiera puesto a cantar.

Jumbo se quedó quieto y emitió un potente berrido. El león Hassan acudió corriendo a la pista. Omar, el camello, llegó con andar cadencioso. El poni Pedro vino trotando y, detrás, entraron precipitadamente los demás animales.

También el payaso Kolopak irrumpió en la pista haciendo el pino. Y hasta el viejo y malvado tigre César apareció finalmente, con cierta indecisión.

El elefante Jumbo levantó la trompa.

Ante aquella orden, todos los animales exclamaron:

—¡Adiós, hermanito! ¡Chao!

Incluso el viejo tigre César gruñó:

—¡Chao! —lo que mereció que Jumbo le hiciera un gesto amistoso.

▼ ▼ ▼

Mikos saludó con las patas delanteras a sus amigos. Utilizó la derecha para decir: «Muchas gracias». Y la izquierda para añadir: «Hasta la vista».

Más tarde, abandonó el circo con Tomás, y por las rugosas mejillas de Jumbo rodaron dos lágrimas tan grandes como pomelos.

El lunes temprano, a las siete menos cinco, Tomás le puso a su gatito negro un cuenco de leche tibia.

A las siete en punto, Tomás salió hacia el colegio, y Mikos dejó su leche y lo acompañó hasta la esquina o dos casas más lejos. Allí se quedó sentado y dijo, maullando bajito:

—¡Chao, Tomás!

▲

▼ ▼ ▼

Tomás le hizo una señal y respondió:

—¡Corre a casa, Mikos!

Y Mikos volvió tranquilamente a casa mientras Tomás apretaba el paso hacia el colegio.

s e r i e   o r o

AZUL (a partir de 7 años)

serie oro

NARANJA (a partir de 9 años)